d

Lesen und dabei Sprachen lernen – leichter und unterhaltsamer lassen sich erste Kenntnisse in einer Fremdsprache kaum festigen und erweitern. Einfache kurze Texte, Gedichte, Reime, Rätsel und Witze ermöglichen auch dem Einsteiger erfolgreiche Lektüreerlebnisse – und fehlt mal ein Wort, lässt sich dessen Bedeutung mühelos im deutschen Text finden. Die vorliegende Sammlung führt auf einen vergnüglichen Streifzug durch die Grundlagen der englischen Literatur, denn schon in der kleinen Form leuchtet die typische Atmosphäre der großen englischen Romane und der berühmte britische Humor auf.

It's quite easy

Einfach Englisch lesen

Ausgewählt und übersetzt
von Anne Rademacher

Illustrationen
von Louise Oldenbourg

Deutscher Taschenbuch Verlag

dtv zweisprachig
Begründet von Kristof Wachinger-Langewiesche

Ausführliche Informationen über
unsere Autoren und Bücher
finden Sie auf unserer Website
www.dtv.de

Originalausgabe
1. Auflage 2008. 3. Auflage 2010
Deutscher Taschenbuch Verlag GmbH & Co. KG,
München
zweisprachig@dtv.de
Umschlagkonzept: Balk & Brumshagen
Umschlaggestaltung unter Verwendung
eines Fotos von iStockfoto
Satz: Greiner & Reichel, Köln
Druck und Bindung: Kösel, Krugzell
Gedruckt auf säurefreiem, chlorfrei gebleichtem Papier
Printed in Germany · ISBN 978-3-423-09480-1

There were two cows in a field.
The first cow said "moo" and the
second cow said "baaaa."
The first cow asked the second cow:
"Why did you say baaaa?"
"I'm learning a foreign language."

This Is Just To Say

I have eaten
the plums
that were in
the icebox

and which
you were probably
saving
for breakfast

Forgive me
they were delicious
so sweet
and so cold

William Carlos Williams

Nur damit du Bescheid weißt

Ich habe die Pflaumen
gegessen
die im Eisschrank
waren

du wolltest
sie sicher
fürs Frühstück
aufheben

Verzeih mir
sie waren herrlich
so süß
und so kalt

Deutsch von
Hans Magnus Enzensberger

Beware of the Bears

A family were going backpacking in a National Park.

"Watch out for the bears," the park ranger advised them. "Black bears are OK; they mostly eat fruit. But the grizzly bears are dangerous." He gave them each a small water-pistol. "We call these Bear Safety Kits. If a grizzly comes at you, squirt him with it." He grinned. "It's full of Essence of Violets. Grizzly bears *hate* violets. So one squirt will make them run away."

"How will we know if there are grizzlies around?" Mum asked nervously.

"Look for droppings," said the park ranger. "If you find some bear droppings and they've got fruit in them, you're safe. But if there's no fruit, watch out. Have a nice day, now!"

The family set off. They walked all morning along the park trails, and soon they found themselves in a beautiful pine wood. Then, ahead of them, they saw a pile of something on the path.

"Bear droppings!" said Dad. "We'd better examine them for fruit."

Vorsicht, Bären!

Eine Familie machte eine Rucksackwanderung durch einen Nationalpark.

«Nehmen Sie sich vor den Bären in acht», ermahnte sie der Parkaufseher. «Schwarzbären sind nicht weiter schlimm, sie ernähren sich hauptsächlich von Früchten. Aber Grizzlybären sind gefährlich.» Er gab jedem von ihnen eine kleine Wasserpistole. «Dies ist unser sogenanntes Bären-Sicherheitsset. Wenn ein Grizzly auf Sie zukommt, müssen Sie ihn damit anspritzen.» Er grinste. «Sie sind mit Veilchenextrakt gefüllt. Grizzlybären *hassen* Veilchen. Schon beim ersten Spritzer ergreifen sie die Flucht.»

«Woher wissen wir, ob Grizzlys in der Nähe sind?», fragte die Mutter nervös.

«Achten Sie auf die Losung», sagte der Parkhüter. «Wenn Sie Bärenlosung mit Früchten finden, sind Sie in Sicherheit. Stecken aber keine Früchte drin, müssen Sie vorsichtig sein. Jetzt wünsche ich Ihnen einen schönen Tag!»

Die Familie brach auf. Sie liefen den ganzen Vormittag über die Wanderwege des Parks und gelangten schließlich in einen schönen Kiefernwald. Plötzlich sahen sie vor sich ein seltsames Häufchen auf dem Weg.

«Bärenlosung!», sagte Vater. «Wir untersuchen sie besser auf Früchte.»

Joe and Beth giggled at that idea, but Dad crouched down to take a look. He prodded the droppings with a stick and said, "Oh-oh. There's no fruit here."

Mum immediately started to rummage for the Bear Safety Kit. Joe and Beth were still peering at the droppings.

"What are those funny bright-coloured bits in it, then?" Beth wanted to know.

"And what's that smell?" said Joe. "Phor! It's *horrible*!"

"Don't be silly", said Mum. "It's not horrible; it's nice. Violets."

Joe und Beth kicherten bei dem Gedanken, doch ihr Vater ging in die Hocke, um genau nachzusehen. Mit einem Stock stocherte er in der Losung. «Oh je. Es sind keine Früchte drin.»

Sofort begann Mutter nach dem Bären-Sicherheits-set zu suchen. Joe und Beth starrten immer noch auf die Losung.

«Was sind denn da für komische knallbunte Stück-chen drin?», wollte Beth wissen.

«Und wonach riecht es hier?», fragte Joe. «Bäh! Das ist ja *ekelhaft*!»

«Red keinen Unsinn», sagte Mutter. «Das riecht nicht ekelhaft, sondern gut. Veilchen.»

"Violets ...?" said everyone else un-easily.

"And those coloured bits ..." said Dad. "They look like plastic. They look like ..."

"Chewed up water pistols ..." said Joe and Beth, in very small voices.

Behind them, the undergrowth rustled hugely. And something *growled* ...

Jokes: Teachers and pupils

Teacher: "When was Rome built?"
Pupil: "At night".
Teacher: "Why did you say that?"
Pupil: "Because my Dad always says that Rome wasn't built in a day!"

Lehrer: «Wann wurde Rom erbaut?»
Schüler: «Bei Nacht.»
Lehrer: «Wie kommst du darauf?»
Schüler: «Weil mein Vater immer sagt, Rom wurde nicht an einem Tag erbaut!»

«Veilchen …?», entfuhr es den anderen mit Entsetzen.

«Und diese bunten Stückchen …», sagte Vater.
«Sie sehen aus wie Plastik. Sie sehen aus wie …»

«Klein gekaute Wasserpistolen …», hauchten Joe und Beth.

Hinter ihnen raschelte etwas Riesiges im Unterholz. Und es *knurrte …*

Schulwitze

Teacher: "Why were you late?"
Pupil: "Sorry, teacher, I overslept".
Teacher: "You mean you need to sleep
at home, too?"

Lehrer: «Warum kommst du zu spät?»
Schüler: «Entschuldigung, Herr Lehrer,
ich habe verschlafen.»
Lehrer: «Soll das heißen, du schläfst zu
Hause auch noch?»

Teacher: "What can you tell me about the Dead Sea?"
Pupil: "Dead? I didn't even know it was sick!"

Lehrer: « Was weißt du über das Tote Meer? »
Schüler: « Tot? Ich wusste nicht einmal, dass es krank war! »

Pupil: "Teacher, I can't solve this problem."
Teacher: "Any five year old should be able to solve this one."
Pupil: "No wonder I can't do it then, I'm nearly ten!"

Schüler: « Herr Lehrer, ich kann diese Aufgabe nicht lösen. »
Lehrer: « Jedes fünfjährige Kind müsste das können. »
Schüler: « Na, dann ist es kein Wunder, wenn ich's nicht kann. Ich bin schon fast zehn! »

Mother: "What did you learn in school today?"
Son: "How to write."
Mother: "What did you write?"
Son: "I don't know, they haven't taught us how to read yet!"

Mutter: « Was habt ihr heute in der Schule gelernt? »
Sohn: « Schreiben. »
Mutter: « Was habt ihr geschrieben? »
Sohn: « Wie soll ich das wissen, Lesen haben sie uns noch nicht beigebracht! »

The Animals and the Mirror

Aunt Susan sent an old-fashioned looking-glass to the barn to be stored in the loft, with other old furniture. The farm boy stood it on the floor of the barn until he should have time to put it away. The mirror was broad and long, and it was set in a dark wooden frame.

An old duck wandered into the barn and caught sight of herself in the mirror. "There is another duck," she said. "I wonder who she is." And she walked toward the reflection. "She is rather friendly," the duck went on. "She is walking toward me. What large feet she has, but her feathers are very handsome."

Just then she bumped into the mirror. "Goodness!" she cried; "if that duck isn't in a glass case! Why are you in there?"

"Well, you needn't answer if you don't want to," she said, walking away. "A glass case is a good place for you."

Just then a pig came along and, nosing around, he came in front of the mirror.

"What are you doing here?" he asked, thinking he saw another pig. His nose hit the glass, and he stepped back.

"So you are in a glass pen," he said. "You are not very handsome, and your nose is not so long

Die Tiere und der Spiegel

Tante Susan ließ einen altmodischen Spiegel in die Scheune bringen, wo er zu den anderen ausgedienten Möbeln auf den Speicher sollte. Der Stalljunge stellte ihn unten auf dem Scheunenboden ab, bis er Zeit haben würde, ihn wegzuräumen. Der Spiegel war breit und hoch und steckte in einem dunklen Holzrahmen.

Eine alte Ente kam in die Scheune spaziert und erblickte sich im Spiegel. «Da ist noch eine Ente. Wer das wohl ist?», fragte sie sich und ging auf ihr Spiegelbild zu. «Sie ist recht freundlich», fuhr die Ente fort. «Sie kommt auf mich zu. Hat die große Füße! Aber ihre Federn sind sehr hübsch.»

In dem Moment prallte sie gegen den Spiegel. «Meine Güte!», rief sie. «Diese Ente steckt ja in einem Glaskasten! Warum bist du da drinnen?»

«Na gut, ganz wie du willst, dann antworte eben nicht», sagte sie und ging weiter. «In einem Glaskasten bist du genau richtig aufgehoben.»

Da kam ein Schwein vorbei und landete herumschnüffelnd vor dem Spiegel.

«Was machst du denn hier?», fragte es, weil es glaubte, ein anderes Schwein zu sehen. Sein Rüssel stieß gegen das Glas und es wich zurück.

«Ach, du steckst in einem Glaskoben. Sehr schön bist du nicht, außerdem ist dein Rüssel nicht so lang

as mine; I cannot see why you should have a glass pen."

And away he trotted to tell the other pigs about the very plain-looking pig.

Kitty came along next and walked in front of the mirror, turning her head and swinging her tail. She had seen a mirror before and knew what it was. The cat wished to look in the mirror, but she saw the dog coming in the door and she did not want him to think her vain.

wie meiner; weshalb bekommst du dann einen Glaskoben?»

Und schon trottete es fort, um den anderen Schwei-
nen von dem sehr gewöhnlich aussehenden Schwein
zu erzählen.

Als Nächstes kam die Mieze daher und lief zum
Spiegel. Sie wandte den Kopf und kräuselte den
Schwanz. Da sie bereits Spiegel gesehen hatte, wusste
sie, womit sie es zu tun hatte. Gern hätte sich die
Katze im Spiegel betrachtet, doch sie sah den Hund
durch die Tür kommen und wollte von ihm nicht
für eitel gehalten werden.

The dog walked over to the mirror and gazed in it. Then he looked foolish, although he had seen a mirror before, too, but not so often as puss.

"Thought it was another dog, didn't you?" she laughed. "Here comes the donkey. Let us hide behind those barrels and see what he does."

The donkey went up to the mirror.

"If they haven't another donkey!" he said. "I suppose I should speak first, as I have lived here so long. Why, he is coming to meet me. That is friendly, indeed."

Bump! His nose hit the glass.

"Well, I had better give up!" he said. "You are in a glass case, but I don't know why you should be. You are a homely creature, and your ears are not so long as mine." And he walked off with a disgusted air.

The cat rolled over and over, and the dog buried his head in his paws.

"Did you ever see anything so funny?" he said to puss.

"Hush!" she replied. "Here is the rooster."

The rooster stopped quite still when he saw himself in the mirror.

"Well, where did you come from?" he asked, ruffling up his feathers. He walked straight to the mirror and flew at the other rooster. Bang! He went against the glass.

Der Hund kam zum Spiegel und schaute hinein. Er wirkte verdutzt, obwohl er schon Spiegel gesehen hatte, wenn auch nicht so oft wie Mieze.

«Hast wohl gedacht, da sei ein anderer Hund, was?», lachte diese. «Da kommt der Esel. Komm, wir verstecken uns hinter den Fässern dort drüben und schauen, was er macht.»

Der Esel ging zum Spiegel.

«Na, so was, sie haben ja noch einen Esel!», wunderte er sich. «Ich glaube, ich sollte ihn zuerst ansprechen, da ich schon so lange hier lebe. Ach, er kommt mir entgegen. Das ist wirklich sehr freundlich.»

Rumms! Seine Nase stieß auf Glas.

«Na, ich glaube, ich lasse es lieber!», sagte er. «Du bist in einem Glaskasten, aber warum, leuchtet mir nicht ein. Du bist eine hässliche Kreatur, und deine Ohren sind nicht so lang wie meine.» Naserümpfend ging er davon.

Die Katze wälzte sich am Boden und der Hund vergrub den Kopf zwischen den Pfoten.

«Hast du jemals so etwas Komisches gesehen?», fragte er die Mieze.

«Pssst!», antwortete sie. «Da kommt der Hahn.»

Als er sich im Spiegel erblickte, blieb der Hahn wie vom Donner gerührt stehen.

«Na, wo kommst du denn her?», fragte er und plusterte die Federn. Er ging geradewegs auf den Spiegel zu und hieb auf den anderen Hahn ein. Peng! Er traf auf Glas.

"In a glass case, are you?" he said. He stretched out his neck and looked very fierce. "You should be; you are a sight – your feathers are ruffled, and you are not half so handsome as I am."

And off he walked, satisfied that he was handsomer than the other rooster.

"Oh, dear!" laughed the cat. "I certainly shall scream. They all think they are handsomer than their reflections. Here comes the turkey gobbler. Let us see what he does."

The gobbler walked slowly over to the mirror and looked at his reflection.

"Now," he asked, "where in the world did they get you? You are an old, bald-headed creature, and your feathers need oiling. You look like a last year's turkey." And off he strutted.

The cat and the dog leaned against the barrels and laughed until the tears ran down their faces.

"Keep still," said the dog. "Here comes speckled hen and her chickens."

Speckled hen walked around, picking up bits of corn. Suddenly she looked up and saw the mirror.

"There is a hen with a brood of chicks, but they are not so handsome as mine," she said, walking toward the looking-glass. "Where do you live? I know you do not belong here." And she looked closer at the other hen.

«So, du bist in einem Glaskasten?» Mit grimmiger Miene reckte er den Hals. «Da gehörst du auch hin. Was bist du nur für ein Anblick: Deine Federn sind zerrupft, außerdem bist du nicht halb so schön wie ich.»

Zufrieden damit, dass er schöner war, als jener andere Hahn, marschierte er weiter.

«Nicht zu fassen!», lachte die Katze. «Es ist zum Schreien. Sie halten sich alle für schöner als ihr Spiegelbild. Da kommt der kollernde Truthahn. Schauen wir, was er macht.»

Der Truthahn schritt gemächlich zum Spiegel und betrachtete sein Spiegelbild.

«Wo, um Himmels willen, haben sie dich denn her? Was für eine alte, kahlköpfige Kreatur du bist, außerdem könnten deine Federn etwas Fett vertragen. Du siehst aus wie von gestern.» Und damit stolzierte er davon.

Die Katze und der Hund lehnten an den Fässern und lachten, bis ihnen die Tränen übers Gesicht liefen.

«Sei still», sagte der Hund. «Dort kommt die getupfte Henne mit ihren Küken.»

Die getupfte Henne lief umher und pickte hier und da ein Korn. Plötzlich blickte sie auf und sah den Spiegel.

«Da ist eine Henne mit einer Schar Küken, aber sie sind nicht so hübsch wie meine.» Sie ging auf den Spiegel zu. «Woher kommst du? Ich weiß, dass du hier nicht hingehörst.» Sie sah sich die andere Henne genauer an.

Click! Her bill hit the glass.

"Well, if she isn't in a glass coop!" the hen said, stepping back. "If master has bought her and those chicks, there will be trouble. Mercy! One of the chicks is bow-legged, and they are a skinny looking lot."

Then she clucked to her chicks and walked out of the barn.

"Oh, dear! Oh, dear!" laughed the dog. "They all think the same. They certainly are a conceited lot. Here comes the goose."

The goose waddled over to the mirror.

"Well, well! If there isn't a new goose!" she said. "And she is walking toward me. I must be friendly."

Snap! Her bill struck the mirror.

"Oh, you are in a glass box!" she said. "Have you come to stay?" And she stretched out her neck.

"My, but you have a long neck!" she went on. "And your feathers are nice and smooth. I suppose you cannot hear in that box."

Then she walked away, nodding good-bye. The other goose, of course, nodded also, and goosey went away satisfied.

"She is not so much of a goose as the others," the cat remarked.

"The peacock is coming," said the dog. "Keep quiet."

Klack!, schlug ihr Schnabel gegen das Glas.

«Na, die scheint in einem Glaskäfig zu sitzen», sagte die Henne und trat zurück. «Wenn der Meister diese Henne und ihre Küken gekauft hat, gibt es Ärger. Herrje! Eins der Küken hat krumme Beine, und was für eine elende Gesellschaft sie sind.»

Dann lockte sie gluckend ihre Küken herbei und marschierte aus der Scheune.

«Ich fasse es nicht! Ich fasse es nicht!», lachte der Hund. «Sie denken alle das Gleiche. Was für ein eingebildeter Haufen. Und jetzt kommt die Gans.»

Die Gans watschelte zum Spiegel.

«So, so? Da haben wir also eine neue Gans!», sagte sie. «Und sie kommt auf mich zugelaufen. Ich muss freundlich sein.»

Schnapp!, schlug ihr Schnabel gegen den Spiegel.

«Oh, du bist in einer Glaskiste! Willst du bei uns einziehen?» Sie reckte den Hals.

«Donnerwetter, hast du aber einen langen Hals!», rief sie. «Und wie hübsch und glatt deine Federn sind. Aber wahrscheinlich hörst du in dieser Kiste nichts.»

Dann ging sie mit einem Abschiedsnicken weiter. Natürlich nickte auch die andere Gans, und das Gänschen zog zufrieden von dannen.

«Eine so dumme Gans wie die anderen ist sie gar nicht», bemerkte die Katze.

«Da kommt der Pfau», sagte der Hund. «Sei jetzt still.»

In walked the peacock. Seeing another bird, as he supposed, he spread his beautiful tail to its full width. He walked about, but never a word did he say.

"Now, what do you make out of that?" asked the dog. "Did he know that he was looking in a looking-glass, or wouldn't he speak to another bird?"

"I do not know," said the cat, "but here comes the goat. Hide, quick!"

Billy was clattering over the boards, when suddenly he saw the other goat. He looked at him a minute. "I'll show him," he said, running at the mirror with head down.

Bang! Smash! Crash! and Billy jumped back, a very much astonished goat.

"Now you have done it," said the horse, who had been watching all the time from his stall. "All the animals will get out and run away."

"What are you talking about?" said the dog, who was laughing so hard he could scarcely talk. "There are no animals in there. That is a looking-glass; you see yourself when you are in front of it."

"Do you mean to tell me that those animals have all been looking at themselves and finding fault with their own looks?" asked the horse, with his eyes nearly popping out of his head.

Der Pfau trat herein. Als er einen anderen Vogel zu sehen glaubte, schlug er seinen schönen Schwanz zu voller Breite auf. Er stolzierte herum, sagte aber kein einziges Wort.

«Also, was meinst du?», wollte der Hund wissen. «Hat er gewusst, dass er in einen Spiegel sah, oder wollte er nur nicht mit einem anderen Vogel sprechen?»

«Ich weiß nicht», sagte die Katze, «aber da kommt die Ziege. Schnell, versteck dich!»

Der Geißbock kam über die Dielen geklappert. Als er plötzlich die andere Ziege erblickte, betrachtete er sie einen Moment lang. «Dem werde ich es zeigen», sagte er dann und rannte mit gesenktem Kopf auf den Spiegel zu.

Klirr! Krach! Schepper! Der Geißbock sprang sehr erstaunt zurück.

«Jetzt haben wir den Salat», sagte das Pferd, das dem Treiben die ganze Zeit aus seiner Box zugesehen hatte. «Alle Tiere werden herauskommen und davonlaufen.»

«Was redest du da?», fragte der Hund, der vor Lachen kaum noch ein Wort herausbrachte. «Da drinnen sind keine Tiere. Das ist ein Spiegel, wenn man sich vor ihn stellt, sieht man sich selbst.»

«Willst du damit sagen, dass sich alle diese Tiere selbst gesehen haben und etwas an ihrem Äußeren auszusetzen hatten?», fragte das Pferd, wobei ihm fast die Augen aus dem Kopf sprangen.

"Of course," said the cat. "Can't you see that Billy has smashed the looking-glass?"

"Well, that is the best I ever heard," said the horse, laughing, "but I wish I had known that was a looking-glass before Billy broke it. I should very much like to know how I look."

"You might not have recognized yourself; the others didn't," said the dog.

Conundrums

What is black and white, black and white, black and white?

A penguin falling down a flight of stairs!

What's in the middle of Paris?

The letter R!

How do you get a dog to stop digging in the garden?

Take away his shovel.

«Natürlich», sagte die Katze. «Siehst du denn nicht, dass der Geißbock den Spiegel zerbrochen hat?»

«Na, das ist das Beste, was ich jemals gehört habe», lachte das Pferd. «Hätte ich doch nur gewusst, dass es ein Spiegel ist, bevor der Bock ihn zerbrochen hat. Ich würde so gern wissen, wie ich aussehe.»

«Vielleicht hättest du dich gar nicht erkannt, wie die anderen», meinte der Hund.

Scherzfragen

Was ist schwarz und weiß, schwarz und weiß, schwarz und weiß?

Ein Pinguin, der eine Treppe hinunterfällt!

Was steht mitten in Paris?

Der Buchstabe R!

Wie gewöhnt man es einem Hund ab, im Garten zu graben?

Man nimmt ihm die Schaufel weg!

What do you get when you cross a piece of paper and scissors?

Confetti!

What kind of lighting did Noah use for the ark?

Floodlights!

What was the greatest accomplishment of the early Romans?

Speaking Latin!

Why did Robin Hood only rob the rich?

Because the poor didn't have anything worth stealing!

Why did the people not like the restaurant on the moon?

Because there was no atmosphere!

What's worse than biting into an apple and finding a worm?

Finding half a worm!

Was bekommt man, wenn man ein Blatt Papier
mit einer Schere kreuzt?

Konfetti!

Was für Licht hatte Noah auf der Arche?

Flutlicht!

Was war die größte Errungenschaft der alten
Römer?

Sie konnten Latein sprechen!

Warum hat Robin Hood nur die Reichen
ausgeraubt?

Weil es bei den Armen nichts zu holen gab!

Warum gefiel den Leuten das Lokal auf dem
Mond nicht?

Weil es keine Atmosphäre hatte!

Was ist schlimmer, als in einen Apfel zu beißen
und einen Wurm zu finden?

Einen halben Wurm zu finden!

Tom Thumb

In the days of King Arthur there lived a wise man named Merlin. He knew all the fairies and where they lived. Even the fairy queen was a friend of his.

Once, while he was travelling, night overtook him in a deep forest. He rapped at the door of a small cottage and asked for some food. Merlin looked so hungry and poor that the farmer and his wife took pity on him.

They not only gave him a bowl of milk with some brown bread, but they said he might stay through the night.

Merlin saw that, in spite of their pleasant cottage, both the farmer and his wife were very sad.

"Why are you sad?" asked Merlin. "You seem to have a good farm, a pleasant cottage, and many things to make you happy."

"Ah!" said the woman, "we are unhappy because we have no child. I should be the happiest woman in the world if I had a son. Why, even if he were no bigger than my husband's thumb, we should love him dearly."

"That would be indeed a very strange kind of child," said Merlin, "but I hope you may have your wish."

Tom Däumling

In den Tagen von König Artus lebte ein weiser Mann, der hieß Merlin. Er kannte alle Elfen und Feen und wusste, wo sie lebten. Selbst die Feenkönigin war eine Freundin von ihm.

Als Merlin einmal unterwegs war, wurde er mitten im tiefen Wald von der Nacht überrascht. Er klopfte an die Tür eines kleinen Hauses und bat um etwas zu essen. Merlin sah so bedürftig und hungrig aus, dass er dem Bauern und seiner Frau leidtat.

Sie gaben ihm nicht nur eine Schüssel voll Milch und ein wenig dunkles Brot dazu, sondern boten ihm auch an, über Nacht zu bleiben.

Merlin sah, dass der Bauer und seine Frau trotz ihres hübschen Häuschens sehr traurig waren.

«Warum seid ihr traurig?», fragte Merlin. «Ihr scheint einen schönen Bauernhof zu haben, ein hübsches Haus und viele andere Dinge, die euch glücklich machen müssten.»

«Ach!», sagte die Frau. «Wir sind unglücklich, weil wir kein Kind haben. Wenn ich nur einen Sohn hätte, ich wäre die glücklichste Frau auf Erden. Ja, selbst wenn er nicht größer wäre als der Daumen meines Mannes, würden wir ihn von Herzen lieben.»

«Das wäre tatsächlich ein sehr sonderbares Kind», sagte Merlin, «aber ich hoffe, euer Wunsch geht in Erfüllung.»

Now Merlin was on his way to call on the queen of the fairies. When he came to her castle the next day, he told the fairy queen the wish of the farmer's wife.

The queen of the fairies said, "The good woman shall have her wish. I will give her a son no larger than her husband's thumb."

Soon after this the good farmer's wife had a son. He was, indeed, just the size of his father's thumb.

People came from far and wide to see the tiny boy.

One day the fairy queen and some other fairies came to see him. The queen kissed the little boy and named him Tom Thumb. Each of the other fairies made Tom a gift.

He had a shirt made of silk from a spider's web, a coat of thistledown, a hat made from the leaf of an oak, tiny shoes made from a mouse's skin, and many other gifts besides.

Tom never grew any larger than a man's thumb, but he could do many clever tricks.

One day his mother was mixing a pudding. Tom leaned over the edge of the bowl to see how it was made. He slipped, and in he went, head first.

His mother did not see him fall, and kept

Nun war Merlin gerade auf dem Weg zur Feenkönigin, um ihr seine Aufwartung zu machen. Als er am nächsten Tag zu ihrem Schloss kam, erzählte er der Feenkönigin vom Wunsch der Bauersfrau.

«Die gute Frau soll ihren Wunsch erfüllt bekommen», sagte die Feenkönigin. «Ich werde ihr einen Sohn schenken, der nicht größer als der Daumen ihres Mannes ist.»

Bald darauf bekam die gute Bauersfrau einen Sohn. Er war tatsächlich gerade so groß wie der Daumen seines Vaters.

Die Menschen kamen von nah und fern, um den winzigen Jungen zu sehen.

Eines Tages erhielt er Besuch von der Feenkönigin und ein paar anderen Feen. Die Königin küsste den kleinen Jungen und nannte ihn Tom Däumling. Jede der Feen machte Tom ein Geschenk.

Er bekam ein Hemd, das aus dem Seidenfaden eines Spinnennetzes gefertigt war, einen Mantel aus Distelwolle, einen Hut aus einem Eichenblatt, winzige Schuhe aus Mäusefell und noch viele andere Geschenke.

Sein Lebtag wurde Tom nicht größer als ein Männerdaumen, doch beherrschte er viele schlaue Tricks.

Eines Tages rührte seine Mutter einen Pudding. Tom beugte sich über den Rand der Schüssel, um zu sehen, wie der Pudding gemacht wurde. Er rutschte aus und stürzte kopfüber hinein.

Seine Mutter sah nicht, wie er in die Schüssel stürz-

stirring and stirring the pudding. Tom could not see nor hear, but he kicked and kicked inside the pudding. The pudding moved and tossed about.

His mother was afraid. She did not know what to think.

"There must be witches in it," she said.

She went to the window to throw the pudding out. Just then a poor beggar was passing by the house.

"Here is a pudding you may have, if you like," said Tom's mother.

The beggar thanked her and put it into his basket. He had not gone very far, when Tom got his head out of the pudding and shouted in a shrill voice:

"Take me out! take me out!"

The poor beggar was so frightened that he dropped his basket, pudding and all, and ran off as fast as he could.

Tom crawled out of the pudding, climbed out of the basket, and ran home. His mother washed him and put him to bed.

Not long after this Tom's mother took him with her when she went to milk the cow. That he might not get lost, she tied him to a wisp of hay.

When Tom's mother was not looking, the cow took the wisp of hay into her mouth. She began

te, und rührte weiter und weiter. Tom sah und hörte nichts, doch er zappelte und strampelte im Pudding. Der Pudding bewegte sich und schwankte hin und her.

Seine Mutter wusste nicht, was sie davon halten sollte, und bekam es mit der Angst zu tun.

«Es müssen Hexen im Pudding sein», sagte sie.

Sie ging zum Fenster, um ihn hinauszuwerfen. Gerade in dem Moment kam ein Bettler am Haus vorbei.

«Hier ist ein Pudding, wenn du willst, kannst du ihn haben», sagte Toms Mutter.

Der Bettler dankte ihr und stellte den Pudding in seinen Korb. Er war noch nicht sehr weit gekommen, als Tom seinen Kopf aus dem Pudding streckte und mit gellender Stimme rief:

«Holt mich raus! Holt mich raus!»

Der arme Bettler bekam einen solchen Schreck, dass er den Korb mitsamt Pudding und allem fallen ließ und so schnell er konnte wegrannte.

Tom krabbelte aus dem Pudding, kletterte aus dem Korb und lief nach Hause. Seine Mutter wusch ihn und steckte ihn ins Bett.

Bald darauf wollte Toms Mutter die Kuh melken gehen und nahm ihn mit. Damit er nicht verloren ging, band sie ihn an einem Heubüschel fest.

Als Toms Mutter gerade nicht hinschaute, nahm die Kuh das Heubüschel ins Maul. Sie kaute und kaute.

to chew and chew. Tom began to jump about and shout. He frightened the cow so that she opened her great mouth and out Tom jumped.

Tom's mother took him in her apron and ran with him to the house, but he was not hurt in the least.

One day Tom was in the field helping his father.

"Let me drive the horse home," said Tom.

"You drive the horse!" said his father. "How could you hold the reins?"

"I could stand in the horse's ear and tell him which way to go," said Tom.

So his father put him in the horse's ear, and he drove safely home.

"Mother! Mother!" cried Tom.

But when Tom's mother came out, she could see no one.

She began to be afraid.

"Where are you, Tom?" she cried.

"Here I am in the horse's ear. Please take me down," said Tom.

His mother lifted him gently down, kissed him, and gave him a blackberry for his supper.

Tom's father made him a whip out of a straw. Tom tried to drive the cows, but he fell into a deep ditch. There a great bird saw him and thought he was a mouse.

Tom hüpfte wild herum und schrie. Er erschreckte die Kuh, so dass sie ihr großes Maul öffnete und Tom heraussprang.

Seine Mutter wickelte ihn in ihre Schürze und lief mit Tom ins Haus, doch ihm war kein Haar gekrümmt worden.

Eines Tages half Tom seinem Vater auf dem Feld.

«Lass mich das Pferd heimführen», sagte Tom.

«Du das Pferde führen!», erwiderte der Vater. «Wie willst du denn die Zügel halten?»

«Ich könnte mich ins Ohr des Pferdes stellen und ihm sagen, wohin es gehen soll», meinte Tom.

Also setzte sein Vater ihn ins Pferdeohr, und Tom brachte das Tier sicher nach Hause.

«Mutter! Mutter!», schrie Tom.

Doch als seine Mutter aus dem Haus kam, sah sie niemanden.

Sie bekam Angst.

«Wo bist du, Tom?», rief sie.

«Hier bin ich, im Pferdeohr. Bitte hol mich raus», sagte Tom.

Seine Mutter hob ihn vorsichtig heraus, küsste ihn und gab ihm eine Brombeere zum Abendbrot.

Toms Vater machte eine Peitsche aus einem Stroh-halm, mit der Tom die Kühe treiben wollte, doch er fiel in einen tiefen Graben. Dort erblickte ihn ein großer Vogel und hielt ihn für eine Maus.

The bird seized Tom in her claws and carried him toward her nest.

As they were passing over the sea, Tom got away and fell into the water, where a great fish swallowed him at one mouthful.

Soon after this the fish was caught, and it was such a big one that it was sent at once to King Arthur.

When the cook cut open the fish, out jumped Tom Thumb. Tom was brought before the king, and his story was told.

The king grew very fond of Tom and his wise sayings. He took Tom with him wherever he went.

If it began to rain, Tom would creep into the king's pocket and sleep until the rain was over.

The king had a new suit made for Tom, and gave him a needle for a sword. A mouse was trained for Tom to ride.

Der Vogel packte Tom mit seinen Klauen und trug ihn zu seinem Nest.

Als sie über das Meer flogen, machte Tom sich frei und stürzte ins Wasser, wo ihn ein großer Fisch mit einem Happen verschluckte.

Bald darauf wurde der Fisch gefangen. Er war so groß, dass man ihn sofort zu König Artus brachte.

Als der Koch den Fisch aufschlitzte, sprang Tom Däumling heraus. Man führte ihn vor den König und erzählte seine Geschichte.

Der König gewann Tom und seine weisen Sprüche sehr lieb. Er nahm ihn überallhin mit.

Wenn es zu regnen begann, kroch Tom in die Manteltasche des Königs und schlief dort, bis der Regen aufhörte.

Der König ließ Tom einen neuen Anzug machen und gab ihm eine Nadel als Schwert. Eine Maus wurde ausgebildet, damit Tom auf ihr reiten konnte.

The king and queen never tired of seeing him ride his queer little horse and bravely wave his sword.

One day, as they were going hunting, a cat jumped out and caught Tom's mouse. Tom drew his sword and tried to drive the cat away.

The king ran to help poor Tom, but the little mouse was dead, and Tom was scratched and bitten. Tom was put to bed, but he did not die.

No indeed! He was soon well again and fought many brave battles and did many brave deeds to please the king.

English Fairy Tale

The Two Pickpockets

Jimmy the Dip was the King of Pickpockets. No contenders. Till his own pocket was picked by Light-fingered Lil while he was busy picking hers.

In that moment they knew they were made for each other.

Der König und die Königin wurden nie müde, ihm zuzusehen, wie er auf seinem wunderlichen kleinen Pferd ritt und tapfer sein Schwert schwenkte.

Als sie eines Tages auf der Jagd waren, sprang eine Katze herbei und fing Toms Maus. Tom zog sein Schwert und versuchte, die Katze zu vertreiben.

Der König kam Tom zu Hilfe gelaufen, doch die kleine Maus war bereits tot und Tom von Kratzern und Bissen übersät. Man brachte ihn ins Bett, doch er starb nicht.

Ganz im Gegenteil! Bald war er wieder gesund, kämpfte noch viele tapfere Schlachten und erfreute den König mit seinen tollkühnen Taten.

Die beiden Taschendiebe

Jimmy Langfinger war der König der Taschendiebe. Keiner konnte ihm das Wasser reichen, bis seine eigene Tasche von der Diebischen Lil ausgeräumt wurde, während er sich an ihrer zu schaffen machte.

In dem Moment wussten sie, dass sie füreinander bestimmt waren.

So they were married and they had a baby. Such plans they had! What a pickpocket he was going to be! The greatest pickpocket that ever was.

But when the baby was born, poor mite – "Look at his little arm," sighed Lil. Jimmy nodded sadly. "He'll never make a pickpocket."

The baby's right fist was clenched like a bird's claw, tight up against his little chest. When Jimmy tried to straighten its arm, the baby yelled blue murder.

Every time someone touched that arm, the baby yelled. The doctor did his best, but the baby roared still louder.

"Get me a specialist!" said Jimmy.

The specialist came, from Harley Street, in his big, black, shiny Rolls Royce car.

The baby looked at him as if to say, "Touch me and I'll scream!"

The great man knew better than to try. He held up his pretty gold watch for the baby to see.

Backwards and forwards the baby's eyes followed the gold watch swinging on its golden chain as the specialist bent to examine him.

Then its little right arm shot out, its fist unclenched and something rattled to the floor as it grabbed the watch and held it tight.

Sie heirateten und bekamen ein Baby. All die Pläne, die sie für es schmiedeten! Was für ein Taschendieb es werden würde! Der größte Taschendieb, den es jemals gegeben hatte.

Doch als das Baby zur Welt kam, das arme kleine Ding – «Schau sein Ärmchen an», seufzte Lil. Jimmy nickte traurig. «Aus dem wird nie ein Taschendieb.»

Das Baby hielt seine rechte Faust zusammenge-krampft wie eine Vogelkralle vor der kleinen Brust. Als Jimmy versuchte, ihm den Arm gerade zu biegen, schrie es Zeter und Mordio.

Jedes Mal, wenn jemand den Arm berührte, brüll-te das Baby. Der Arzt gab sein Bestes, doch das Baby brüllte nur noch lauter.

«Besorgen Sie mir einen Spezialisten!», sagte Jimmy.

Der Spezialist aus der Harley Street kam in seinem großen, schwarz glänzenden Rolls-Royce vorgefahren.

Das Baby sah ihn mit einem Blick an, der sagte: «Fass mich an und ich schreie!»

Der kluge Mann hütete sich davor, es zu versuchen. Er hielt dem Baby seine hübsche goldene Taschenuhr hin.

Als der Spezialist sich vorbeugte, um das Baby zu untersuchen, gingen dessen Augen hin und her und folgten der goldenen Taschenuhr, die an einer golde-nen Kette schwang.

Dann schoss der kleine rechte Arm vor, die Faust öffnete sich, und als das Baby nach der Uhr griff und sie fest umklammerte, fiel etwas klappernd zu Boden.

Jimmy the Dip bent down and picked up the thing the child had dropped. It was the mid-wife's wedding-ring. The little fellow had been hanging on to it from the first moment he was born.

"There!" says Jimmy. "Didn't I say he was going to grow up to be the greatest pickpocket that ever was?"

And, sad to say, he did.

Jimmy Langfinger bückte sich und hob den Gegenstand auf, den das Kind hatte fallen lassen. Es war der Ehering der Hebamme. Der kleine Bursche hatte ihn seit dem Moment seiner Geburt nicht mehr losgelassen.

«Na, bitte!», meinte Jimmy. «Habe ich nicht gesagt, dass er einmal der größte Taschendieb aller Zeiten wird?»

Und so ist es leider gekommen.

Nursery Rhymes

I eat my peas with honey,
I've done it all my life.
It makes the peas taste funny,
But it keeps them on my knife.

Molly, my sister, and I fell out,
And what do you think it was all about?
She loved coffee, and I loved tea,
And that was the reason we could not agree.

Mix a pancake,
stir a pancake,
pop it in the pan.
Fry the pancake,
Toss the pancake,
Catch it if you can.

Englische Kinderverse

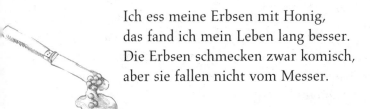

Ich ess meine Erbsen mit Honig,
das fand ich mein Leben lang besser.
Die Erbsen schmecken zwar komisch,
aber sie fallen nicht vom Messer.

Meine Schwester Molly und ich kriegten Krach,
und was meinst du, worum es ging?
Sie trank lieber Kaffee und ich lieber Tee,
darum zankten wir uns Tag für Tag.

Mach einen Pfannkuchen:
rühr ihn an,
gieß ihn in die Pfann'.
Back den Pfannkuchen,
wirf ihn hoch,
fang ihn, wenn du kannst.

Deutsch von
Erika Tophoven

The Mice in Council

What a queer meeting that was down
in the cellar! There were big mice, little
mice, old mice, young mice, gray mice,
and brown mice, all very sober and
thoughtful.

At last an old mouse spoke up and said,
"Shall we have Mr Graypate for our chairman? All those who wish Mr Graypate
to be chairman will please hold up their
right hands."

Every mouse raised a tiny paw.

Mr. Graypate walked out to the front
and took charge of the meeting. It was
well that they chose him, for he was
the wisest mouse in the whole country.
Gazing over the crowd, he said:

"Will Mr. Longtail tell us why we have
met here? Mr. Longtail, come out in front
where we can hear you."

Mr. Longtail walked slowly to the front.
Then he stood upon his hind legs and said:

"My friends, I think you all know why
we are here. Last night Mrs. Whitenose,
whom we all love, and all her family were
killed by the big white cat. The night before,
while Mrs. Blackfoot was out hunting, all

Der Mäuserat

Was für eine sonderbare Versammlung unten im Keller stattfand! Dort waren große Mäuse, kleine Mäuse, alte Mäuse, junge Mäuse, graue Mäuse und braune Mäuse, und alle wirkten sehr ernst und nachdenklich.

Schließlich ergriff eine alte Maus das Wort: «Sollen wir Herrn Grauschädel zu unserem Vorsitzenden wählen? Wer dafür ist, dass Herr Grauschädel den Vorsitz übernimmt, möge bitte seine rechte Hand erheben.»

Alle Mäuse reckten ihre winzigen Pfoten hoch.

Herr Grauschädel trat nach vorn und übernahm den Vorsitz der Versammlung. Sie hatten gut daran getan, ihn zu wählen, denn er war die weiseste Maus im ganzen Land. Er blickte über die Menge und sagte:

«Würde Herr Langschwanz uns bitte berichten, warum wir hier sind? Herr Langschwanz, kommen Sie nach vorn, wo wir Sie hören können.»

Herr Langschwanz ging langsam nach vorne. Dann stellte er sich auf die Hinterbeine und sagte:

«Meine Freunde, ich denke, ihr wisst alle, warum wir hier sind. Gestern Abend sind Frau Weißnase, die wir alle lieben, und ihre ganze Familie von der großen weißen Katze getötet worden. Am Abend davor hat dieselbe Katze die süßen kleinen Babys von Frau Schwarz-

her cunning little babies were killed by the same cat. Early this week one of my finest boys was killed. You or I may be next.

Must we bear this and do nothing at all to save our loved ones and ourselves? We have met here to make some plan for our defense."

Having spoken, Mr. Longtail walked back into the crowd.

Mr. Graypate arose and said: "You have heard why we are here. Anyone who has a good plan for ridding us of the cat will please tell of it. The meeting is open to all."

"Let us all run at him suddenly when he

fuß umgebracht, während sie selbst auf Jagd war. An-
fang dieser Woche wurde einer meiner prächtigsten
Söhne getötet. Jeder von uns könnte der Nächste sein.

Müssen wir uns das widerstandslos gefallen lassen,
ohne zu versuchen, uns und unsere Lieben zu retten?
Wir sind hier zusammengekommen, um uns eine
Verteidigungsstrategie zu überlegen.»

Nachdem er gesprochen hatte, trat Herr Langschwanz zurück in die Menge.

Herr Grauschädel erhob sich und sagte: «Ihr habt
gehört, warum wir hier sind. Wer eine gute Idee hat,
wie wir die Katze loswerden können, möge sie uns bitte vortragen. Die Versammlung ist für alle geöffnet.»

«Wir wollen alle zusammen auf sie zurennen, wenn

is not looking for us, and each give him a bite. That would surely kill him," said one brave mouse.

"But how many of us do you think he would kill?" said another mouse. "I will not risk my life nor that of my family."

"Nor I"; "nor I"; "nor I," said many other mice.

"Let us steal his food and starve him to death," suggested another.

"That will only make him hungrier for mice," they replied. "That will never do."

"I wish we might drown him," said another, "but I don't know how we could get him into the water."

At last a little gray mouse with a squeaky voice went up to the front and spoke:

"I have a plan that will surely work. If we could know when the cat is coming, we could get out of his way. He steals in upon us so quietly, that we can not escape. Let us find a little bell and a string. Let us put the bell on the string and tie the string around the cat's neck. As soon as we hear the bell, we can run and get out of the cat's way."

"A very good plan," said Mr. Longtail. "We will ask our leader to say which

sie nicht mit uns rechnet, und jede von uns muss sie beißen. Das wird sie sicher umbringen», schlug eine mutige Maus vor.

«Aber was meinst du, wie viele von uns sie töten würde?», sagte eine andere Maus. «Ich will weder mein Leben noch das meiner Familie aufs Spiel setzen.»

«Ich auch nicht»; «Ich auch nicht»; «Ich auch nicht», meinten viele andere Mäuse.

«Wir könnten ihr Futter stehlen und sie verhungern lassen», schlug jemand anderes vor.

«Dann bekommt sie nur noch mehr Appetit auf Mäuse», erwiderten die Mäuse. «Das geht auf keinen Fall.»

«Ich wünschte, wir könnten sie ertränken», sagte eine andere Maus, «aber ich weiß nicht, wie wir sie ins Wasser locken sollen.»

Schließlich kam eine kleine graue Maus mit piepsiger Stimme nach vorne. «Ich habe einen Plan, der bestimmt funktionieren wird», sagte sie. «Wenn wir wissen würden, wann die Katze kommt, könnten wir ihr aus dem Weg gehen. Sie schleicht sich so leise an uns heran, dass wir nicht mehr flüchten können. Wir müssen uns eine kleine Glocke und eine Schnur besorgen. Die Glocke befestigen wir an der Schnur und binden sie der Katze um den Hals. Sobald wir die Glocke hören, können wir weglaufen und der Katze aus dem Weg gehen.»

«Eine sehr gute Idee», sagte Herr Langschwanz. «Wir werden unseren Vorsitzenden bitten, zu bestim-

mouse shall put the bell on the cat's neck."

At this there was a great outcry. One said, "I am so little that I can not reach high enough to bell the cat." Another said, "I have been very sick and am too weak to lift the bell"; and so the excuses came pouring in.

At last Mr. Graypate called to the crowd, "Silence! I shall choose no one. Who will offer to bell the cat?"

It was very quiet in the meeting. One after another of the younger mice went out. None but the older ones were left. At last they too went sadly home. No one would bell the cat.

men, welche Maus der Katze die Glocke umhängen soll.»

Darauf brach lautes Geschrei aus. «Ich bin so klein, dass ich nicht hoch genug langen kann, um der Katze die Glocke umzuhängen», sagte eine Maus.

«Ich war schwer krank und bin zu schwach, um die Glocke hochzuheben», sagte die Nächste. Und so kam eine Entschuldigung nach der anderen.

«Ruhe!», rief Herr Grauschädel schließlich in die Runde. «Ich werde niemanden auswählen. Wer meldet sich freiwillig, der Katze die Glocke umzuhängen?»

Es war sehr still in der Versammlung. Die jüngeren Mäuse gingen eine nach der anderen, bis nur noch die älteren übrig waren. Schließlich gingen auch die älteren Mäuse traurig nach Hause. Niemand wollte der Katze die Glocke umhängen.

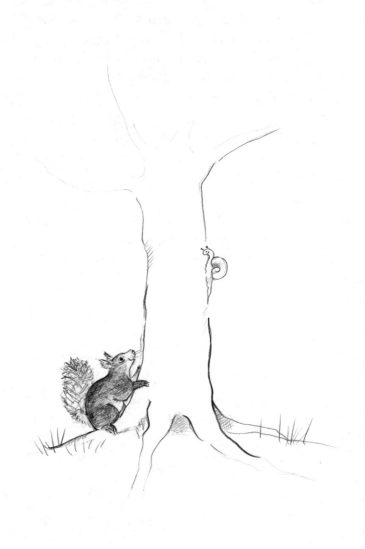

Jokes: Funny Animals
Tierwitze

The snail and the squirrel

A snail was slithering up a cherry tree
at the end of winter.
A squirrel came by and said:
"There are no cherries on the tree yet."
The snail said:
"They will be when I get there!"

Die Schnecke und das Eichhörnchen

Eine Schnecke kroch gegen Ende des
Winters an einem Kirschbaum hoch.
Da kam ein Eichhörnchen vorbei und
sagte:
«Es sind noch gar keine Kirschen am
Baum.»
«Bis ich oben bin, schon», erwiderte die
Schnecke.

Cows

There were two cows in a field.
The first cow said "moo" and the
second cow said "baaaa."
The first cow asked the second cow:
"Why did you say baaaa?"
"I'm learning a foreign language."

Kühe

Standen zwei Kühe auf einer Wiese.
«Muh», machte die eine, «Bäh» die
andere.
«Warum hast du Bäh gesagt?», frag-
te die eine Kuh die andere.
«Weil ich eine Fremdsprache lerne.»

Elephants

Zoo Keeper to his wife: "I've lost one of my elephants."
His wife: "Why don't you put an advert in the paper?"
Zoo Keeper: "Don't be silly, he can't read!"

Elefanten

Sagt der Zoodirektor zu seiner Frau: « Einer meiner
Elefanten ist verschwunden. »
Fragt die Frau. « Warum setzt du es nicht in die
Zeitung? »
Sagt der Zoodirektor: « Sei nicht dumm, er kann doch
nicht lesen! »

Pigs

"I have just bought a pig."
"Where will you keep it?"
"In my sitting-room."
"But what about the smell?"
"Oh, well, the pig will get used to it."

Schweine

« Ich habe mir gerade ein Schwein gekauft. »
« Wo willst du es unterbringen? »
« Im Wohnzimmer. »
« Und was ist mit dem Gestank? »
« Ach, das Schwein wird sich schon daran
gewöhnen. »

The Fox and the Crow

One day the door of a cottage
stood open. A tame crow flew
through the door into the
cottage. She stole a piece of
meat from the table, and flew
to a branch of a tall
tree.

Just as she had settled
there to enjoy her meat a
fox came along and stopped
under the tree. He sniffed
something good to eat. Looking about, he saw the meat
in the crow's mouth and
wanted it.

How could he get the meat? He could not
climb the tree. What good would it do if he
could? The crow would fly away when she
saw him coming. He could not coax the crow
to come down to the ground. She knew what
a fox likes to eat.

At last the fox had a happy thought. He said
to himself, "A crow is one of the proudest
birds I ever knew. I will flatter her and she
will forget about the meat."

Der Fuchs und die Krähe

Eines Tages stand die Tür eines
kleinen Hauses offen. Eine
zahme Krähe flatterte hinein,
stahl ein Stück Fleisch vom
Tisch und flog auf den Ast
eines hohen Baumes.

  Gerade als sie sich
dort niedergelassen hatte, um
ihr Fleisch zu verspeisen, kam ein
Fuchs vorbei und blieb unter dem
Baum stehen. Er roch irgendetwas
Leckeres. Als er sich suchend
umschaute, sah er das Fleisch
im Schnabel der Krähe und
bekam Lust darauf.

  Wie sollte er an das Fleisch kommen? Auf den Baum
klettern konnte er nicht. Und was hätte es ihm auch
genützt? In dem Moment, wo sie ihn kommen sah,
würde die Krähe wegfliegen. Genauso wenig konnte
er die Krähe dazu verlocken, auf den Boden hinunter-
zukommen. Sie wusste, was Füchse gerne fraßen.

Schließlich kam dem Fuchs ein glücklicher Einfall.
«Krähen gehören zu den stolzesten Vögeln, die ich
kenne», sagte er zu sich. «Ich werde ihr schmeicheln,
dann wird sie das Fleisch vergessen.»

So he called out in his sweetest voice, "Good day, my pretty bird"; but the crow did not reply. She only stepped about proudly on the branch.

"I wish I had such a beautiful form as you have," said the fox.

Still no answer, but the crow held up her head and turned it first to one side and then to the other, showing that she was pleased.

"What a graceful neck and bright eye!" said the fox. "The other birds may well be jealous of you."

No answer yet. She only raised her wings a little and gazed down upon the fox.

"If your voice were only as beautiful as your form and your dress, you would be queen of all the birds; but it seems that you cannot talk at all. What a pity that you are dumb!"

The crow gave a loud "caw!" As she did so, the meat fell from her mouth. The fox snapped it up quickly.

Poor crow, she saw when too late that the fox was only fooling her.

«Guten Tag, mein schöner Vogel», rief er deshalb mit seiner süßesten Stimme, doch die Krähe reagierte nicht. Sie trippelte nur stolz auf dem Ast herum.

«Ich wünschte, ich wäre von so schöner Gestalt wie du», sagte der Fuchs.

Wieder kam keine Antwort, doch die Krähe reckte ihren Kopf, neigte ihn erst zur einen, dann zur anderen Seite und wirkte erfreut.

«Was für ein anmutiger Hals und welch strahlende Augen!», sagte der Fuchs. «Kein Wunder, dass die anderen Vögel dich beneiden.»

Noch immer keine Antwort. Die Krähe hob nur leicht die Flügel an und blickte auf den Fuchs hinunter.

«Ach, wäre deine Stimme nur so schön wie deine Gestalt und dein Federkleid, du würdest die Königin aller Vögel sein; aber anscheinend bringst du nicht einen Ton heraus. Wie schade, dass du stumm bist!»

Die Krähe gab ein lautes «Krächz!» von sich. In dem Moment fiel das Fleischstück aus ihrem Schnabel. Der Fuchs schnappte schnell danach.

Arme Krähe, sie merkte zu spät, dass der Fuchs sie hereingelegt hatte.

The Fox and the Ducks

On a summer day, a man sitting on the bank of
a river in the shade of some bushes, watched a
flock of ducks on the stream.

Soon a branch with leaves came drifting among
them, and they all took wing. After circling in the
air for a little time, they settled down again on
their feeding ground.

Soon another branch came drifting down
among them, and again they took flight from
the river; but when they found the branch
had drifted by and done them no harm, they
flew down to the water as before.

After four or five branches had drifted by in
this way, the ducks gave little heed to them. At
length, they hardly tried to fly out of their way,
even when the branches nearly touched them.

The man who had been watching all this,
now began to wonder who had set these branches

Der Fuchs und die Enten

An einem Sommertag saß, verborgen von ein paar
Büschen, ein Mann an einem Flussufer und beobachtete eine Schar Enten auf dem Strom.

Es dauerte nicht lange, da trieb ein belaubter Ast
durch die Entenschar, worauf sie alle davonflogen.
Nachdem sie eine kleine Weile durch die Luft gekreist
waren, ließen sie sich wieder auf ihrem Futterplatz
nieder.

Bald kam ein weiterer Ast durch ihre Schar getrie-
ben, und wieder flüchteten die Enten vom Fluss. Als
sie merkten, dass der Ast vorbeitrieb, ohne ihnen ein
Leid zu tun, flogen sie wie zuvor zurück aufs Wasser.

Nachdem vier oder fünf Äste auf diese Weise vor-
beigetrieben waren, beachteten die Enten sie kaum
noch. Bald versuchten sie nicht einmal mehr, ihnen
auszuweichen, wenn die Äste sie schon fast berührten.

Der Mann, der diesem Treiben zugesehen hatte,
fragte sich nun, wer wohl die Äste hatte schwimmen

adrift. He looked up the stream and spied a fox slyly watching the ducks. "What will he do next?" thought the man.

When the fox saw that the ducks were no longer afraid of the branches, he took a much larger branch than any he had yet used, and stretched himself upon it so as to be almost hidden. Then he set it afloat as he had the others.

Right among the flock drifted the sly old fox, and, making quick snaps to right and left, he seized two fine young ducks and floated off with them.

The rest of the flock flew away in fright and did not come back for a long time.

The fox must have had a fine dinner to pay him for his cunning, patient work.

lassen. Er blickte flussauf und erspähte einen Fuchs,
der die Enten mit verschlagener Miene beobachtete.
«Was wird er als Nächstes tun?», überlegte der Mann.

Als der Fuchs sah, dass die Enten sich nicht mehr
vor den Ästen fürchteten, nahm er einen Ast, der viel
länger war als alle, die er bisher benutzt hatte, und
streckte sich lang auf ihm aus, so dass er beinahe ganz
verborgen war. Dann ließ er ihn wie die anderen los-
schwimmen.

Der schlaue alte Fuchs trieb mitten durch die Entenschar, schnappte schnell nach rechts und nach links
und erwischte zwei prächtige junge Enten, mit denen
er davonschwamm.

Der Rest der Entenschar flog erschrocken davon und
kam lange Zeit nicht mehr zurück.

Der Fuchs schien für seine listige und geduldige
Arbeit ein gutes Abendessen bekommen zu haben.

Jokes: "That's delicious!"
Witze: «Lecker, lecker!»

A waiter brings the customer the steak
he ordered with his thumb over the meat.
"Are you crazy?" yells the customer,
"with your hand on my steak?"
"What," answers the waiter, "you want
it to fall on the floor again?"

Ein Ober bringt dem Gast das bestellte
Steak, wobei er das Fleisch mit dem Dau-
men festhält.
«Sind Sie verrückt?», schreit der Gast.
«Mein Steak mit der Hand festzuhalten?»
«Was denn», erwidert der Ober. «Wollen
Sie, dass es noch mal auf den Boden fällt?»

Customer: "Give me a hot
dog."
Waiter: "With pleasure."
Customer: "No, with mus-
tard."

Gast: «Ein Hot Dog, bitte.»
Ober: «Mit Vergnügen.»
Gast: «Nein, mit Senf.»

Waiter: "Tea or coffee, gentlemen?"
1st customer: "I'll have tea."
2nd customer: "Me, too – and be
sure the glass is clean!"
Waiter exits, returns.
Waiter: "Two teas. Which one
asked for the clean glass?"

Ober: « Tee oder Kaffee, meine Herren? »
1. Gast: « Ich möchte einen Tee. »
2. Gast: « Ich auch – aber bitte achten
Sie darauf, dass das Glas sauber ist. »
Der Ober geht und kommt zurück.
Ober: « Zwei mal Tee. Wer von Ihnen
wollte das saubere Glas? »

Customer: "Waiter, this
soup tastes funny."
Waiter: "So why don't
you laugh?"

Gast: « Herr Ober, diese
Suppe schmeckt komisch. »
Ober: « Warum lachen Sie
dann nicht? »

Customer: "Waiter, waiter, there's a fly in my soup!"
Waiter: "Yes, sir, you only get one, there's a shortage of flies at the moment."

Dick Whittington

Dick Whittington was a poor little boy who lived in the country.

His father and mother were both dead.

Poor little Dick was always willing to work, but sometimes there was no work for him to do, so he often had nothing to eat. Now Dick was a bright boy. He kept both ears open to hear what was said around him.

He had heard many times about the great city of London. Men said that in this great city the people were rich.

Dick had even heard that the streets were paved with gold.

"How I should like to visit that great city," thought Dick, "for I could pick up gold from the streets!"

Gast: «Herr Ober, Herr Ober, da ist eine Fliege in meiner Suppe!»
Ober: «Ja, mein Herr, es gibt nur eine für jeden. Im Moment sind wir etwas knapp mit Fliegen.»

Dick Whittington

Dick Whittington war ein armer kleiner Junge und lebte auf dem Land.

Sein Vater und seine Mutter waren beide gestorben.

Der arme kleine Dick war zu jeder Arbeit bereit, doch manchmal gab es nichts für ihn zu tun, und deshalb hatte er oft nichts zu essen. Allerdings war Dick ein aufgeweckter Bursche. Er sperrte seine Ohren auf, um alles mitzubekommen, was um ihn herum erzählt wurde.

Schon oft hatte er von der großen Stadt London gehört. Man erzählte sich, die Menschen in dieser riesigen Stadt seien alle reich.

Dick hatte sogar gehört, dass die Straßen dort mit Gold gepflastert seien.

«Wie gerne würde ich einmal in diese große Stadt reisen», dachte Dick, «dann könnte ich das Gold von der Straße aufheben.»

Dick had earned a little money, so one day he set out to walk to London.

He walked and walked and walked, but London was a long way from his home. At last a man with a wagon came along. He was a kind man, and he gave Dick a ride.

"Where are you going?" asked Dick.

"I'm going to London," said the man.

"You are very good to give me a ride. I am going there, too," said Dick.

It was dark when they reached London.

That night Dick slept in a barn with the horses.

The next morning he looked for the golden stones in the streets. He looked and looked, but he could find only dust and dirt.

There were many, many people in London, and Dick thought that he could soon find something to do.

He wandered around the streets, seeking for work.

He asked many people, but no one wanted the poor little country boy.

As Dick had no money for food, he soon became very, very hungry. At last he grew so weak that he fell down before the door of a great house.

Here the cook found him and began to beat him with a stick.

Als Dick eines Tages ein wenig Geld verdient hatte, brach er auf und wanderte nach London.

Er lief und lief und lief, doch London war weit von seinem Heimatort entfernt. Schließlich kam ein Mann mit einem Pferdefuhrwerk vorbei. Es war ein guter Mann und er ließ Dick mitfahren.

«Wohin fahren Sie?», fragte Dick.

«Nach London», antwortete der Mann.

«Wie gut von Ihnen, dass Sie mich mitfahren lassen», sagte Dick, «denn dort will ich auch hin.»

Als sie London erreichten, war es dunkel.

In jener Nacht schlief Dick in einer Scheune bei den Pferden.

Am nächsten Morgen suchte er in den Straßen nach den goldenen Pflastersteinen, doch wohin er auch schaute, er fand nur Staub und Schmutz.

In London lebten viele, viele Menschen, und so glaubte Dick, dort bald eine Beschäftigung finden zu können.

Er lief kreuz und quer durch die Straßen und suchte Arbeit.

Er fragte überall, doch niemand wollte den armen kleinen Jungen vom Land.

Da Dick kein Geld hatte, um sich etwas zu essen zu kaufen, wurde er bald sehr, sehr hungrig. Schließlich war er so schwach, dass er vor der Tür eines großen Hauses zusammenbrach.

Dort fand ihn die Köchin und begann, mit einem Stock auf ihn einzuprügeln.

"Run away, you lazy boy!" she cried.

Poor Dick tried to rise, but he was so faint from want of food that he could not stand.

Just then the owner of the house, Mr Fitzwarren, came up. He took pity on the poor boy and ordered the cook to give him some food.

Then he turned to Dick and said: "If you wish to work, you may help the cook in the kitchen. You will find a bed in the attic."

Dick thanked Mr Fitzwarren again and again for his kindness. The cook was very cross to Dick and whipped him almost every day.

His bed in the attic was only a pile of old rags. He soon found that there were many rats and mice in the attic. They ran over his bed and made so much noise every night that he could not sleep.

"I wish I had a cat," thought Dick, "for she could eat up these rats and mice."

One day Dick earned a penny by blacking a man's shoes.

"I will try to buy a cat with this penny," thought Dick.

So he started out and soon met a woman with a large cat.

"Will you sell me that cat?" said Dick. "I will give you this penny for her."

«Fort mit dir, du fauler Bengel!», rief sie.

Der arme Dick versuchte auf die Beine zu kommen, doch er war so vom Hunger geschwächt, dass er nicht mehr stehen konnte.

In diesem Moment kam der Besitzer des Hauses, Mr Fitzwarren, vorbei. Er hatte Mitleid mit dem armen Jungen und befahl der Köchin, ihm etwas zu essen zu geben.

Dann wandte er sich Dick zu. «Wenn du arbeiten willst, kannst du der Köchin in der Küche helfen. Oben auf dem Speicher gibt es ein Bett für dich.»

Wieder und wieder bedankte sich Dick bei Mr Fitzwarren für dessen Güte. Die Köchin war sehr böse zu Dick und schlug ihn fast jeden Tag.

Sein Bett auf dem Speicher war nichts als ein Haufen alter Lumpen. Bald merkte Dick, dass viele Ratten und Mäuse auf dem Speicher lebten. Jede Nacht liefen sie über sein Bett und machten so viel Lärm, dass er nicht schlafen konnte.

«Ach, hätte ich nur eine Katze», dachte Dick, «denn die könnte diese Ratten und Mäuse fressen.»

Eines Tages verdiente sich Dick einen Penny damit, dass er einem Mann die Schuhe putzte.

«Ich will versuchen, mir mit diesem Penny eine Katze zu kaufen», dachte Dick.

So machte er sich auf den Weg und traf bald eine Frau mit einer großen Katze.

«Verkaufen Sie mir die Katze?», fragte Dick. «Ich geben Ihnen diesen Penny dafür.»

"You are a good boy," said the woman, "and you may have the cat for a penny, for I know you will treat her kindly."

That night Dick's bed was free from rats, and Miss Puss had a good supper.

Dick began to love his cat dearly.

Now Mr Fitzwarren had many ships which sailed to distant lands. When a ship sailed Mr Fitzwarren let every one in his house send something on it. The things were sold, and when the ship came back, each person had the money for what he had sent.

One of the ships was ready to sail. Every one in the house except Dick had sent something.

«Du bist ein braver Junge», sagte die Frau, «und bekommst die Katze für einen Penny, denn ich weiß, dass du sie gut behandeln wirst.»

In jener Nacht war Dicks Bett frei von Ratten, und Miss Pussy hatte ein gutes Abendmahl.

Dick begann seine Katze innig zu lieben.

Nun war es so, dass Mr Fitzwarren viele Schiffe besaß, die in ferne Länder segelten. Immer, wenn ein Schiff aufbrach, erlaubte Mr Fitzwarren den Bewohnern seines Hauses, etwas an Bord zu schicken. Die Sachen wurden verkauft, und wenn das Schiff wieder heimkam, erhielt jeder das Geld für das, was er mitgegeben hatte.

Eins der Schiffe war segelklar. Außer Dick hatte jeder im Haus etwas aufs Schiff geschickt.

"What is Dick going to send in the ship?" said Mr Fitzwarren.

"Oh, that boy has nothing to send," said the cross cook.

"It is true," said poor Dick; "I have nothing but my dear cat."

"Well, then you must send your cat," said Mr Fitzwarren.

How lonely poor Dick was without Puss!

The cook made fun of him for sending a cat on the ship. At last Dick became so unhappy that he made up his mind to run away.

He started early in the morning, before any one in the house was up. He had gone but a short way when he heard the sound of the six great bells of Bow.

As they rang, "Ding-dong, ding-dong!" they seemed to say:

Turn back, Whittington,
Lord Mayor of London.

"It is strange that the bells should speak to me," said Dick, "but if I am to be Lord Mayor of London, I will gladly turn back."

« Was wird Dick aufs Schiff schicken? », fragte Mr Fitzwarren.

« Ach, der Bursche hat nichts, was er schicken könnte », sagte die böse Köchin.

« Das stimmt », gab der arme Dick zu. « Ich habe nichts außer meiner lieben Katze. »

« Nun, dann musst du deine Katze schicken », sagte Mr Fitzwarren.

Wie einsam der arme Dick ohne seine Pussy war!

Die Köchin machte sich über ihn lustig, weil er eine Katze aufs Schiff gegeben hatte. Schließlich wurde Dick so unglücklich, dass er beschloss, wegzulaufen.

Eines frühen Morgens, noch bevor irgendjemand im Haus auf war, machte er sich auf den Weg. Er war erst ein kurzes Stück weit gekommen, als er die sechs großen Glocken von St. Mary-le-Bow hörte.

« Bim-bam, bim-bam! », läuteten sie und schienen zu sagen:

Geh zurück, Whittington,
Lord Mayor* von London.

« Wie seltsam, dass die Glocken zu mir sprechen », meinte Dick, « aber wenn ich Lord Mayor von London werden soll, dann will ich gerne zurückgehen. »

* « Lord Mayor of London » nennt man den Bürgermeiser der City of London, dem historischen und wirtschaftlichen Zentrum der Stadt, nicht zu verwechseln mit dem « Mayor of London », der für Greater London zuständig ist.

So he ran back to the house of Mr. Fitzwarren.

"I hope they have not missed me," said Dick, as he gently opened the door and stole softly in.

Dick's cat was taken across the ocean. The ship sailed and sailed, until at last it came to a distant country.

Now the king and queen of this country were very rich. When the captain was asked to show his goods before them he was very glad indeed to do so.

The king and queen first gave the captain a great feast. Gold and silver dishes filled with food were brought in.

When these dishes were placed upon the table an army of rats came out.

There were white rats, and black rats, and brown rats, and big rats, and little rats.

At once they fell upon the food and ate it nearly all up.

"Why do you let the rats do this?" asked the captain.

"Alas, we cannot help ourselves," said the king. "I would give half my kingdom to be rid of them."

Then the captain thought of Dick Whitting-ton's cat.

"I have an animal which will rid you of them," said the captain.

Und so lief er zurück zum Haus von Mr Fitzwarren. «Hoffentlich haben sie mich nicht vermisst», sagte Dick, als er leise die Tür öffnete und sich hineinstahl.

Dicks Katze wurde mit übers Meer genommen. Das Schiff segelte und segelte, bis es schließlich in ein fernes Land kam.

Der König und die Königin dieses Landes waren sehr reich. Als der Kapitän gebeten wurde, ihnen seine Waren zu zeigen, willigte er nur zu gerne ein.

Zunächst aber gaben der König und die Königin ein großes Festmahl für den Kapitän. Reichlich gefüllte goldene und silberne Schüsseln wurden hereingetragen.

Als sie auf den Tisch gestellt wurden, tauchte ein ganzes Heer von Ratten auf.

Es gab weiße Ratten, schwarze Ratten und braune Ratten, große Ratten und kleine Ratten.

Auf der Stelle machten sie sich über das Essen her und fraßen fast alles auf.

«Warum lasst Ihr euch das von den Ratten gefallen?», fragte der Kapitän.

«Ach, wir wissen uns nicht zu helfen», klagte der König. «Ich gäbe mein halbes Königreich dafür, sie loszuwerden.»

Da fiel dem Kapitän die Katze von Dick Whittington ein.

«Ich habe ein Tier, das Euch von ihnen befreien wird», sagte er.

"Pray bring it in at once," said the queen.

What fun Dick's cat had killing the rats and mice in the king's palace!

"We must buy that little animal," said the queen. "I do not care how much she may cost."

The captain could hardly carry all the jewels and gold that the king gave him for the cat.

Then the ship with Dick's money came back to London, and the captain told the story to Mr Fitzwarren.

"We must take these jewels and all this gold at once to Mr Whittington," said the honest man. "He is no longer a poor boy, for this has made him rich."

They found Dick in the kitchen blacking the stove.

"Come with me at once into the parlor," said Mr Fitzwarren.

Then the bags of gold and jewels were piled at Dick's feet.

"See what your cat has brought you," said Mr Fitzwarren. "You are now a rich man and may yet be Lord Mayor of London."

And it is true that after Dick Whittington became a man, he was made Lord Mayor of London.

English Folk Tale

«Bitte bringt es sofort her», flehte die Königin.

Was für einen Spaß es Dicks Katze machte, alle Ratten und Mäuse im Palast des Königs zu erlegen!

«Wir müssen dieses kleine Tier kaufen», sagte die Königin. «Koste es, was es wolle.»

Der Kapitän konnte all die Juwelen und das Gold, das der König ihm für die Katze gab, kaum tragen.

Als das Schiff mit Dicks Geld zurück in London war, erzählte der Kapitän seine Geschichte Mr Fitzwarren.

«Wir müssen diese Juwelen und das Gold sofort Mr Whittington bringen», sagte der ehrliche Mann. «Jetzt ist er kein armer Junge mehr, denn dies hat ihn reich gemacht.»

Sie fanden Dick in der Küche, wo er den Ofen schwärzte.

«Komm ganz schnell mit mir in den Salon», sagte Mr Fitzwarren.

Dann wurden die Taschen voller Gold und Juwelen vor Dicks Füße geschüttet.

«Schau, was deine Katze dir einge- bracht hat», sagte Mr Fitzwarren. «Jetzt bist du ein reicher Mann und kannst noch Lord Mayor von London werden.»

Und als Dick Whittington erwachsen war, machte man ihn tatsächlich zum Lord Mayor von London.

Nursery Rhymes

Hickory dickory dock,
The mouse ran up the clock.
The clock struck one,
The mouse ran down,
Hickory dickory dock.

One, two, three, four, five,
Once I caught a fish alive.
Six, seven, eigth, nine, ten,
Then I let it go again.

Why did you let it go?
Because it bit my finger so.
Which finger did it bite?
This little finger on the right.

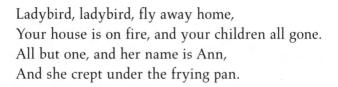

Ladybird, ladybird, fly away home,
Your house is on fire, and your children all gone.
All but one, and her name is Ann,
And she crept under the frying pan.

Englische Kinderverse

Trippeldi trappeldi trapp,
die Maus läuft die Uhr hinauf.
Schlägt es eins,
Läuft sie herab.
Trippeldi trappeldi trapp.

Eins, zwei, drei, vier, fünf,
ich fing mal einen lebenden Fisch.
Sechs, sieben, acht, neun, zehn,
dann ließ ich ihn wieder gehn.

Warum hieltest du ihn nicht?
Weil er mich in den Finger biss.
Welchen Finger biss er an?
Den kleinen an der rechten Hand.

Marienkäfer, flieg heim geschwind,
dein Haus ist in Flammen, die Kinder sind dahin.
Alle außer einer, die heißt Anne,
die kroch unter die Bratpfanne.

Deutsch von
Erika Tophoven

Blood Relations

Do you believe in vampires?

The old people of my mountain village believed in them. Grandmother did; and when my older sister and I scoffed, she would say we were foolish girls who should listen to their elders. But we laughed at her silly superstitions.

Until my sister met Vasili.

Vasili was new to our district. He was dark and handsome, and all the girls fell for him. When he courted my sister, her friends were madly jealous. But I was suspicious. Vasili's face was *so* pale, and his hair *so* black. He only came to our house after dark. He never ate or drank in front of us. And my sister was pale, too, and tired all the time ... It fitted, horribly, with Grandmother's frightening stories.

My sister just laughed at my fears. But I was afraid. What if Vasili *was* a vampire? She could be in terrible danger.

So one winter day, after school, I went to Vasili's house. There wasn't much daylight left when I arrived. But I had to know the truth.

I knocked. There was no reply. Screwing

Blutsverwandte

Glaubt ihr an Vampire?

Die alten Leute in meinem Bergdorf glaubten an sie. Auch Großmutter tat es, und als meine ältere Schwester und ich sie deswegen aufzogen, meinte sie, wir seien alberne Mädchen, die besser auf ältere Leute hören sollten. Doch wir machten uns über ihren dummen Aberglauben lustig.

Bis meine Schwester Vasili kennenlernte.

Vasili war neu in unserer Gegend. Er war dunkelhaarig und hübsch, und alle Mädchen verliebten sich in ihn. Als er meiner Schwester den Hof machte, wurden ihre Freundinnen rasend eifersüchtig. Doch ich war misstrauisch. Vasilis Gesicht war *so* blass und sein Haar *so* schwarz. Er kam immer erst nach Einbruch der Dunkelheit zu uns. Nie hat er in unserer Gegenwart gegessen oder getrunken. Und meine Schwester sah ebenfalls blass aus, außerdem war sie ständig müde ... Es passte alles erschreckend genau zu Großmutters gruseligen Geschichten.

Meine Schwester lachte über meine Ängste. Mich aber grauste es. Wenn Vasili nun ein Vampir *war*, was dann? Vielleicht befand sie sich in furchtbarer Gefahr.

Und so ging ich an einem Wintertag nach der Schule zu Vasilis Haus. Als ich ankam, war es schon fast dunkel, doch ich musste die Wahrheit wissen.

Ich klopfte. Keine Antwort. Ich nahm all meinen Mut

up my courage, I tried the door. It creaked open, and I tiptoed in.

My blood ran cold. A coffin stood in the middle of the floor. Its lid was closed, and all I wanted was to run away, to the safety of home. But I thought of my sister. And I clutched the hammer and the wooden stake that I had brought with me ...

I lifted the lid, and there he was. Vasili, fast asleep, with a cruel smile on his face. And blood on his mouth.

I poised the stake over his heart. I raised the hammer. I shut my eyes and the hammer came down –

His scream was the most hideous sound I have ever heard. But when I dared to open my eyes again, he was *truly* dead.

zusammen und drückte gegen die Tür. Knarrend sprang sie auf, und ich schlich auf Zehenspitzen hinein.

Das Blut gefror mir in den Adern. Mitten auf dem Boden stand ein Sarg. Der Deckel war geschlossen. Ich wollte nur noch wegrennen, zurück in mein sicheres Zuhause, aber ich dachte an meine Schwester. Und so umklammerte ich den Hammer und die Holzpflöcke, die ich mitgebracht hatte …

Ich machte den Deckel auf – da lag er. Vasili schlief tief und fest, ein grausames Lächeln auf dem Gesicht und Blut auf den Lippen.

Ich brachte den Pflock über seinem Herzen in Position. Dann hob ich den Hammer hoch. Ich schloss die Augen, und der Hammer fuhr herab …

Sein Schrei war das grässlichste Geräusch, das ich jemals gehört hatte. Doch als ich es wagte, die Augen wieder zu öffnen, war er *wirklich* tot.

At that moment the sun vanished behind the mountains. I heard a sound behind me. I whirled round, and there was my sister. I was so thankful; I ran to her – and my joy turned to horror as she opened her mouth in a snarl, and I saw her long, long teeth –

So now we live here together, my sister and I. No one believes in us. Well, it's been a hundred years, and people aren't superstitious any more. Tourists come to our village now. Maybe *you'll* come for a holiday one day. *Do* you believe in vampires?

I think you should. I really do.

In dem Moment verschwand die Sonne hinter den Bergen. Hinter mir hörte ich ein Geräusch. Ich wirbelte herum und erblickte meine Schwester. Ich war so froh und lief auf sie zu – doch meine Freude verwandelte sich in Entsetzen, als sie zähnefletschend ihren Mund öffnete und ich ihre langen, langen Fänge sah.

So kam es, dass wir jetzt hier zusammenleben, meine Schwester und ich. Niemand glaubt an uns. Es sind seither auch schon hundert Jahre vergangen, und die Menschen sind heute nicht mehr abergläubisch. Jetzt kommen Touristen in unser Dorf. Vielleicht kommt auch ihr eines Tages in den Ferien. Glaubt ihr an Vampire?

Vielleicht solltet ihr das besser. Unbedingt!

Jokes: Doctor, Doctor

Doctor: "Did you know that there are more than a thousand bones in the human body?"
Tom: "Shhh, doctor! My dog's outside in the waiting room!"

Arzt: «Wusstest du schon, dass der menschliche Körper über tausend Knochen hat?»
Tom: «Psst, Herr Doktor! Mein Hund ist draußen im Wartezimmer!»

"Why are you looking so depressed?"
"I've just been to the doctor and he told me I would have to take a pill every day for the rest of my life."
"Why is that so depressing?"
"He only gave me twenty-five pills."

«Warum schaust du so traurig?»
«Ich war gerade beim Arzt, und er hat gesagt, dass ich bis zum Ende meines Lebens jeden Tag eine Tablette nehmen muss.»
«Und was ist daran so schlimm?»
«Er hat mir nur fünfundzwanzig Tabletten gegeben.»

Arztwitze

"Doctor, doctor, what can I do, my little boy has swallowed my pen?"
"Use a pencil till I get there."

«Herr Doktor, Herr Doktor, was soll ich machen? Mein kleiner Sohn hat gerade meinen Füller verschluckt.»
«Nehmen Sie einen Bleistift, bis ich komme.»

Psychiatrist: "What's your problem?"
Man: "I can foresee the future."
Psychiatrist: "When did it start?"
Man: "Next Thursday."

Psychiater: «Was ist Ihr Problem?»
Mann: «Ich kann in die Zukunft sehen.»
Psychiater: «Wann hat das angefangen?»
Mann: «Nächsten Donnerstag.»

"Doctor, what does the X-ray of my head show?"
"Absolutely nothing!"

«Herr Doktor, was sieht man auf der Röntgenaufnahme meines Kopfes?»
«Absolut nichts!»

Patient: "How much to have this tooth pulled?"
Dentist: "$90.00."
Patient: "$90.00 for just a few minutes work???"
Dentist: "I can extract it very slowly if you like."

David and Goliath

Long, long ago there lived in the country of Israel a boy named David. He was a shepherd boy, and all day long he watched the quiet sheep as they ate sweet grass on the hillside.

Although David was only a boy, he was tall and strong and brave. When he knew he was in the right, he feared nothing.

David's quiet life did not last long.

There was a great war between the people of Israel and men called the Philistines. All the strong men in David's town went to join the army of Israel. David could not go, as he had to tend the sheep, but his three older brothers went to the war.

Patient: «Was kostet es, mir diesen
Zahn ziehen zu lassen?»
Zahnarzt: «Neunzig Dollar.»
Patient: «Neunzig Dollar für ein
paar Minuten Arbeit?»
Zahnarzt: «Wenn Sie wollen, kann
ich ihn auch ganz langsam ziehen.»

David und Goliath

Vor langer, langer Zeit lebte im Lande Israel ein Junge
namens David. Er war ein Schafhirte und verbrachte
den ganzen Tag damit, den friedlichen Schafen dabei
zuzuschauen, wie sie das süße Gras auf den Hügeln
fraßen.

David war zwar noch ein Junge, doch er war groß,
stark und mutig. Wenn er sich im Recht glaubte, hatte
er vor nichts und niemandem Angst.

Davids ruhiges Leben währte nicht sehr lang.

Damals herrschte ein großer Krieg zwischen dem
Volk Israel und den Männern, die man Philister nannte. Alle starken Männer aus Davids Stadt gingen fort,
um dem Heer der Israeliten beizutreten. David konnte
nicht mit, weil er die Schafe hüten musste, aber seine
drei älteren Brüder zogen in den Krieg.

For a long time David's father heard nothing from his three oldest boys. At length he called David to him and said, "Take to your brothers a bag of this corn and these ten loaves of bread. Find out how your brothers are, and bring word to me."

The next morning David rose very early, and taking the bag of corn and the loaves of bread, he went to the camp where his brothers were.

The camp of Israel was on the side of a high mountain.

Across the valley from this mountain and on the side of another mountain was the camp of the Philistines.

After David had come to the camp and had found his brothers, shouts of anger and fear came from the soldiers.

David looked across the valley to the camp of the Philistines.

Lange Zeit hörte Davids Vater nichts von seinen drei ältesten Söhnen. Schließlich rief er David zu sich und sagte: «Bring deinen Brüdern einen Sack von diesem Korn und diese zehn Brotlaibe. Sieh nach, ob es ihnen gutgeht, und bringe mir Nachricht von ihnen.»

Am nächsten Morgen stand David sehr früh auf, nahm den Sack Korn und die Brotlaibe und ging zu dem Lager, in dem sich seine Brüder aufhielten.

Die Israeliten lagerten am Hang eines hohen Berges.

Auf der gegenüberliegenden Seite des Tales und an den Hängen eines anderen Berges lagerte das Heer der Philister.

Nachdem David im Lager eingetroffen war und seine Brüder gefunden hatte, erhob sich unter den Soldaten Angst- und Wutgeschrei.

David blickte über das Tal zum Lager der Philister.

There he saw a huge soldier dressed in shin-
ing armor. This giant soldier carried a great
spear and shield.

"Who is that man?" asked David.

"Do you not know? That is Goliath," said the
soldiers. "Every day he comes out and dares
any man on our side to meet him in battle."

"Does no one of our soldiers dare to meet
him?" asked David.

"We have no man so strong as he in our
whole army," said the soldiers.

The giant from the opposite hillside shouted
with a loud voice, and again dared the army of
Israel to choose a man to meet him.

David was a brave boy; he was stirred to
anger at the sight of this great giant.

"Is not God on the side of our people?" he
asked. "I will fight with this man, even though
he kill me."

The king of Israel heard of these brave words
and sent for David to come before him.

When he saw that David was only a boy,
he said, "You are not able to go against this
Philistine. You are only a boy, while he has
fought in many battles."

Then David said to the king, "Once,
when I was guarding my father's sheep, I
killed a lion and a bear without help from

Dort gewahrte er einen riesigen Soldaten in glänzender Rüstung. Der Riese trug eine lange Lanze und einen schweren Schild.

«Wer ist der Mann dort?», fragte David.

«Weißt du das nicht? Das ist Goliath», erwiderten die Soldaten. «Jeden Tag kommt er aus dem Lager und fordert unsere Männer auf, gegen ihn zu kämpfen.»

«Traut sich keiner unserer Soldaten, ihm entgegenzutreten?», fragte David.

«Wir haben in unserem ganzen Heer keinen Mann, der so stark ist wie er», sagten die Soldaten.

Der Riese auf dem gegenüberliegenden Hügel brüllte erneut laut, das Heer der Israeliten möge einen Mann auswählen, der gegen ihn anträte.

David war ein mutiger Junge; und der Anblick des Riesen weckte seine Wut.

«Ist Gott nicht auf der Seite unseres Volkes?», fragte er. «Ich will gegen diesen Mann kämpfen, selbst wenn er mich tötet.»

Der König von Israel hörte von diesen mutigen Worten und ließ David zu sich holen.

Als er sah, dass David noch ein Junge war, sagte der König: «Du kannst nicht gegen diesen Philister antreten. Du bist noch jung, aber er hat schon in vielen Schlachten gekämpft.»

Da sagte David zum König: «Als ich einmal die Schafe meines Vaters hütete, habe ich einen Löwen und einen Bären erlegt und es hat mir niemand ge-

any one but the Lord. He will help me fight this man."

Then the king said, "Go, and the Lord be with you."

The king fitted David with heavy armor and gave to him his own sword, but David said, "I am not used to this heavy armor; it will only hinder me."

So he threw it off.

Then David went to a brook nearby and chose five smooth stones. Armed with these five stones and his sling he went bravely out to meet the giant.

When the giant saw that David was only a boy, he was angry and cried out: "Do you dare fight with me? I will kill you, and will give your flesh to the birds and the beasts."

David looked at him without fear and said, "You come against me with a sword and with a spear and with a shield, but I come to you in the name of the Lord. This day will he give you into my hand. I will kill you and take your head from you, and I will give the bodies of the Philistines to the birds and the beasts."

When they came near to each other, David fitted one of the five stones to his sling.

He whirled the sling swiftly about his head. The stone flew straight to its mark. It struck the

holfen außer dem Herrn. Der Herr wird mir auch beistehen, wenn ich gegen diesen Mann kämpfe.»

«So geh, und der Herr sei mit dir», sagte der König.

Er legte David eine schwere Rüstung an und gab ihm sein eigenes Schwert, aber David sagte: «Ich bin diese schwere Rüstung nicht gewohnt, sie wird mich nur behindern.»

Und so legte er sie ab.

Dann ging David zu einem Bach in der Nähe und wählte fünf glatte Steine aus. Mit diesen fünf Steinen und seiner Schleuder bewaffnet, marschierte er tapfer davon, um gegen den Riesen zu kämpfen.

Als der Riese sah, dass David noch ein Junge war, wurde er wütend. «Du wagst es, gegen mich zu kämpfen?», rief er. «Ich werde dich töten und dein Fleisch den Vögeln und wilden Tieren vorwerfen.»

David sah ihn unerschrocken an. «Du kommst zu mir mit Schwert, Lanze und einem Schild, aber ich komme zu dir im Namen des Herrn. Heute wird er dich in meine Hand geben. Ich werde dich töten und dir den Kopf abschlagen, und die Leichname der Philister werde ich den Vögeln und wilden Tieren vorwerfen.»

Als sie aufeinander zuschritten, steckte David einen der fünf Steine in die Schleuder.

Schnell wirbelte er die Schleuder über seinem Kopf. Der Stein flog direkt ins Ziel und traf den Philister

Philistine full in the forehead. The huge giant took one step and, with a groan, fell to the earth.

Then David, standing upon the giant, took his sword and cut off the head of his enemy.

When the Philistines saw that their giant was dead, they were filled with fear. They left their camp and tried to run away, but the army of Israel followed them and won a great victory.

For this brave deed David was made a captain and was held in honor by the king.

Adapted from the Bible

mitten auf der Stirn. Der gewaltige Riese trat einen Schritt vor und stürzte dann stöhnend zu Boden.

Da stellte sich David auf den Riesen, nahm dessen Schwert und trennte dem Feind den Kopf ab.

Als die Philister sahen, dass ihr Riese tot war, bekamen sie große Angst. Sie rannten aus ihrem Lager und versuchten zu entkommen, aber das Heer der Israeliten folgte ihnen und errang einen großen Sieg.

Für seine Heldentat machte man David zum Hauptmann, und der König hielt ihn in Ehren.

Nach der Bibel

Jokes: Are Caterpillars good to eat?
Witze: Kann man Raupen essen?

Johnny: "Daddy, are caterpillars good to eat?"
Father: "Have I not told you never to mention such things during meals!"
Mother: "Why did you say that, Junior? Why did you ask the question?"
Johnny: "It's because I saw one on daddy's lettuce, but now it's gone."

Johnny: « Papa, kann man Raupen essen? »
Vater: « Habe ich dir nicht gesagt, dass du beim Essen nicht über so etwas reden sollst? »
Mutter: « Wie kommst du darauf, mein Kleiner? Warum hast du gefragt? »
Johnny: « Weil ich eine auf Papas Salat gesehen habe, aber jetzt ist sie verschwunden. »

When the window cleaner arrived at
the Green's house, he was stopped in
his tracks by a snarling, barking dog.
"Don't be afraid of him," said Mrs
Green. "You know the old proverb:
'A barking dog never bites'."
"Sure," said the window cleaner. "You
know the old proverb. I know the old
proverb. But does your dog know the
old proverb?"

Als der Fensterputzer zum Haus der Familie
Green kam, wurde er von einem knurren-
den und bellenden Hund aufgehalten.
«Haben Sie keine Angst vor ihm», sagte
Mrs Green. «Sie kennen doch das alte
Sprichwort: ‹Hunde, die bellen, beißen
nicht›.»
«Ja, sicher», antwortete der Fensterputzer.
«Sie kennen das alte Sprichwort, ich kenne
das alte Sprichwort. Aber kennt Ihr Hund
das alte Sprichwort?»

An absent-minded professor paused
to chat with one of his students,
then asked:
"From which direction was I coming,
when I stopped to talk to you?".
"That way," the student pointed.
"Good," said the professor, "then
I've had my lunch."

Ein zerstreuter Professor blieb
stehen, um mit einem seiner Stu-
denten zu plaudern. Dann fragte er:
« Aus welcher Richtung kam ich, als
ich stehen blieb, um mit Ihnen zu
reden?»
« Von dort», zeigte der Student.
« Gut», sagte der Professor, « dann
habe ich schon zu Mittag gegessen.»

"Mommy, everyone says I look
like a werewolf."
"Be quiet and comb your face."

«Mami, alle sagen, dass ich wie
ein Werwolf aussehe.»
«Sei still und kämm dir das Gesicht.»

"Prisoner, this court has accused you
of stealing $5,000, but it has been
unable to prove you guilty. Therefore,
you are now free to go. Do you have
anything to say?"
"Does that mean that I can keep the
money?"

«Angeklagter, das Gericht wirft Ihnen
vor, 5000 Dollar gestohlen zu haben,
aber Ihre Schuld konnte nicht bewie-
sen werden. Deshalb sind Sie jetzt
frei. Haben Sie noch etwas zu sagen?»
«Heißt das, ich kann das Geld be-
halten?»

The Miller, his Son and their Donkey

"I shall have to sell that donkey of ours," said
a miller to his son. "I cannot afford to keep him
through the winter. I will take him to town this
very morning to see if I can find a buyer. You
may go with me." In a little while the miller,
his son, and the donkey were on their way to
town.

They had not gone far when they met some
girls going to a party. They were talking and
laughing as they went along. One of them said,
"Look at that man and boy driving a donkey.
One of them surely might ride."

The miller heard what they said, and quickly
made his son mount the donkey, while he walked
along at its side.

After a while they came to a group of old men
who were talking very earnestly. "There," said
one, "I was just saying that boys and girls have
no respect for the aged. You see it is true in this
case. See that boy riding while his old father has
to walk."

"Get down, my son," said his father, "and I
will ride." So they went on.

They next met some women coming from
town. "Why!" they cried, "your poor little boy
is nearly tired out. How can you ride and make

Vom Müller, seinem Sohn und dem Esel

«Ich werde unseren Esel verkaufen müssen», sagte ein Müller zu seinem Sohn. «Ich kann es mir nicht leisten, ihn den Winter über durchzufüttern. Noch heute Morgen will ich ihn in die Stadt bringen und sehen, ob ich einen Käufer finde. Wenn du magst, kannst du mitkommen.» Kurze Zeit später waren der Müller, sein Sohn und der Esel auf dem Weg in die Stadt.

Sie waren noch nicht weit, da begegneten ihnen ein paar Mädchen, die zu einem Fest gingen. Im Vorbeigehen redeten und lachten sie. «Schaut den Mann und den Jungen mit dem Esel an», sagte eines der Mädchen. «Einer von beiden könnte doch sicher reiten.»

Der Müller hörte, was sie sagten, und ließ seinen Sohn rasch auf den Esel steigen, während er selbst neben ihm herschritt.

Nach einer Weile kamen sie zu einer Gruppe alter Männer, die sich sehr ernsthaft unterhielten. «Schaut nur», sagte einer von ihnen, «habe ich nicht gerade gesagt, dass die Jugend keinen Respekt mehr vor dem Alter hat. Dort haben wir den Beweis. Seht den Jungen, der reitet, während sein alter Vater laufen muss.»

«Steig ab, mein Sohn», sagte der Vater, «ich werde reiten.» Und so zogen sie weiter.

Als Nächstes trafen sie einige Frauen, die aus der Stadt kamen. «Na, so etwas!», riefen sie. «Dein armer kleiner Sohn kann bald nicht mehr. Wie kannst du

him walk?" So the miller made his son ride
on the donkey behind him.

They were now in town. A man coming
down the street called to the miller, "Why
do you make your donkey carry such a load?
You can carry him better than he can carry
you."

At this the miller and his son got off the donkey. They tied the donkey's legs together, turned
him over on his back and began to carry him.

A crowd soon gathered to see the strange
sight. As they were crossing a bridge the donkey
became frightened at the hooting of the crowd.
He broke loose, fell into the river, and was
drowned.

selbst reiten und ihn laufen lassen?» Da ließ der Müller seinen Sohn hinter sich aufsitzen.

Mittlerweile waren sie in der Stadt angekommen.
Ein Mann kam die Straße entlang. «Warum lasst ihr
euren Esel eine so große Last tragen?», rief er dem
Müller zu. «Dabei könntet ihr ihn besser tragen als
er euch.»

Daraufhin stiegen der Müller und sein Sohn ab. Sie
banden dem Esel die Beine zusammen, drehten ihn auf
den Rücken und begannen ihn zu tragen.

Bald hatte sich eine Menschenmenge versammelt,
um die seltsame Szene zu betrachten. Die johlende
Menge machte dem Esel Angst, und gerade als sie über
eine Brücke gingen, strampelte er sich frei, stürzte in
den Fluss und ertrank.

The miller was angry and ashamed. He said, "There! I have tried to please everybody and have only made a fool of myself. After this I shall do as I think best and let people say what they will."

Remember a Child

A young man was walking through a supermarket to pick up a few things when he noticed an old lady following him around. Thinking nothing of it, he ignored her and continued on. Finally he went to the checkout line, but she got in front of him.

"Pardon me", she said, "I'm sorry if my staring at you has made you feel uncomfortable. It's just that you look just like my son, who died recently."

"I'm very sorry", replied the young man, "is there anything I can do for you?"

"Yes", she said, "As I'm leaving, can you say 'Good bye, Mother!'? It would make me feel so much better."

"Sure", answered the young man.

Der Müller ärgerte und schämte sich. «Also so etwas!», sagte er. «Jetzt habe ich versucht, es jedem recht zu machen, und mich dabei wie ein Narr benommen. Ab sofort will ich nur noch das tun, was ich selbst für das Beste halte, und nichts mehr darauf geben, was die Leute sagen.»

Schöne Erinnerungen

Ein junger Mann ging durch einen Supermarkt, um ein paar Sachen einzukaufen. Da fiel ihm eine alte Dame auf, die ihm überallhin folgte. Er dachte sich nichts dabei, beachtete sie nicht weiter und fuhr mit seinen Einkäufen fort. Schließlich stellte er sich an der Kasse an, aber sie stand schon vor ihm.

«Bitte entschuldigen Sie», sagte sie. «Es tut mir leid, wenn ich Sie mit meinen Blicken belästigt haben sollte. Sie sehen nur meinem Sohn, der vor kurzem gestorben ist, so ähnlich.»

«Das tut mir sehr leid», erwiderte der junge Mann. «Gibt es irgendetwas, das ich für Sie tun kann?»

«Ja», sagte sie. «Könnten Sie ‹Auf Wiedersehen, Mutter!› zu mir sagen, wenn ich gehe? Das wäre sehr schön für mich.»

«Aber natürlich», antwortete der junge Mann.

As the old woman was leaving, he called out: "Goodbye, Mother!"

As he stepped up to the checkout counter, he saw that his total was $127.50.

"How can that be?" he asked, "I only purchased a few things!"

"Your mother said that you would pay for her", said the clerk.

Als die alte Frau ging, rief er laut: «Auf Wiedersehen, Mutter!»

Dann trat er an die Kasse und sah, dass er insgesamt
eine Summe von 127.50 Dollar zu bezahlen hatte.

«Wie ist das möglich?», fragte er. «Ich habe doch
nur ein paar Sachen gekauft!»

«Ihre Mutter hat gesagt, dass Sie für sie zahlen»,
sagte der Verkäufer.

Quellennachweise

Die Nursery Rhymes sind dem Buch ‹Nursery Rhymes. Englische Kinderreime›. Auswahl und Übersetzung von Erika Tophoven, München 1995 (dtv 9336) entnommen.

Louise Cooper: Blood Relations, Beware of the Bears, in: Short and Scary. A Book of Very Short Stories. Oxford 2002. © 2002 Louise Cooper. Abdruck mit freundlicher Genehmigung von Oxford University Press.

Maggie Pearson: The Two Pickpockets, in: Short and Shocking. Oxford 2002. © 2002 Maggie Pearson. Abdruck mit freundlicher Genehmigung von Oxford University Press.

William Carlos Williams: This Is Just To Say, in: Der harte Kern der Schönheit. Ausgewählte Gedichte. Amerikanisch und Deutsch. Herausgegeben und mit einem Nachwort von Joachim Sartorius. Aus dem Amerikanischen von Hans Magnus Enzensberger u. a. © 1991 Carl Hanser Verlag, München. © 1962 der deutschen Übersetzung ‹Nur damit du es weißt› in: Die Worte, die Worte, die Worte. Gedichte. Amerikanisch und deutsch. Übertragung Hans Magnus Enzensberger, Suhrkamp Verlag Frankfurt am Main.

Inhalt